Chemical Disinfection

CW00407978

G. A. J. Ayliffe, MD FRCPath

Professor of Medical Microbiology,
University of Birmingham, and Regional Health
Service Infection Research Laboratory, Birmingham

D. Coates, PhD

Senior Microbiologist,
Public Health Laboratory, Preston

and

P. N. Hoffman, BSc

Senior Microbiologist,
Division of Hospital Infection,
Central Public Health Laboratory, London

日本語訳：古橋正吉
東京医科歯科大学医学部　教授

Published by the Public Health Laboratory Service,
61 Colindale Avenue, London NW9 5EQ

First published 1984

ISBN 0 901 14414 2

Translated and Printed in Japan by ICI-Pharma Ltd.,
3-30, Imabashi, Higashi-ku, Osaka

訳者序文

　本書は、英国のPublic Health Laboratory Serviceが、1984年に発行した"Chemical Disinfection in Hospitals"の全訳である。
このたび、英国当局の特別のご好意により、日本における出版が許可され、ここに発行の運びとなった。

　本書は、1972年にKelsey博士らによって編集された、化学消毒剤の著書を土台に出版され、英国の病院において優れた化学消毒剤の使用基準の指針とされてきた。その後、12年間にウィルス性肝炎、レジオネラ症、そして最近ではエイズ(AIDS)ウィルス感染症が出現し、病院における感染症対策にも、新たな指針が必要とされてきた。
一方、最近の病院においては、特殊な治療・診断用に耐熱性のない機器(内視鏡など)が広く利用されており、また検査部(室)におけるバイオハザード対策の問題なども加わって、化学消毒法の重要性がますます高くなってきた。

　このような背景から、新しい内容を盛り込んだ指針が要望され、本書が刊行されたものと推察される。著者はAyliffe教授、Coates博士、Hoffman博士で、いずれも英国において高名な細菌学者であり、化学消毒剤の研究者でもある。

　内容は、病院における感染防止の目的に利用される各種消毒剤名、濃度、適応などについて、具体的な説明がされているために、我が国の病院職員にとっても実用的指導書となり、座右に置いて利用できる。

　英文原著は36頁の小冊子ではあるが、筆者は、数年前にこれを読み、我が国の病院職員に紹介し、利用していただきたいと考え邦訳を志した。幸いにも、英国当局から邦訳版刊行の許可がいただけ、全訳原稿を英国に送り、その原稿に慎重なリ・チェックを受けて、日本語版を刊行するに至った。なお、刊行に当ってはアイ・シー・アイ ファーマ(株)の熱心なご協力とご援助をいただき、ここに付記して、厚くお礼を申し上げる次第である。

1986年9月

東京医科歯科大学医学部 教授
古橋正吉

Contents

Preface

　病院における化学消毒薬の使用に関する前回の公衆衛生検査業務モノグラフは、Dr. J. C. Kelsey と Isobel M. Maurer が起草し、1972年に発表したものであり、消毒に関する基準設置の意味においても、また、病院スタッフが、実際に消毒薬を使用する上においても、貴重な手引書となった。

　この1972年以来、英国の病院では、ほとんどの所で、消毒に関する基準が定められ、環境汚染による感染発生が減少した。一方、B型肝炎ウィルスの出現、熱に不安定な器具の使用の増大、検査室の安全性確保の問題など、新たな問題が出て来た。今日、英国の病院では、ほとんど感染防止委員会が設置され、通常、病院職員である微生物学者を感染防止管理者とし、さらに、感染防止担当看護婦をおいている所が多い。このような組織化により、病院基準の設置と管理がしやすくなり、皮膚や複雑な医療機器の汚染の除去方法が改善されたことも、多くの研究から明らかである。

　今回、今でもなお、意義のある前回のモノグラフの内容も組み込んで、新たなものを作成したが、上述のような変化を考慮し、将来数年にわたる化学的消毒法、さらに、ある程度の物理的消毒法に関する手引書とすることにした。

June 1984

G.A.J. Ayliffe
D. Coates
P.N. Hoffman

1

化学消毒の原則

　化学消毒の役割とは、どのようなものであるかを明らかにするには、滅菌と消毒を区別することが必要であり、このために、以下のBritish Standards Institution（BS5283：1976）の修正定義を採用した。

　a)　**滅菌**は、生きている微生物を全て破壊、または除去することである。
　b)　**消毒**は、微生物は破壊するが、通常、細菌胞子の破壊は含まない。また、必ずしも全ての微生物を殺すものではなく、健康に害のない程度にまで、減少させることである。この消毒という言葉は、無生物体、および物件の処理に使用されるものであるが、皮膚、その他の粘膜組織、体腔などの消毒処置にも使用されることがある。

　化学消毒薬は、増殖性微生物を破壊することのできる化合物であり、防腐剤（antiseptics）という言葉は、皮膚、あるいは生体組織に使用でき、毒性作用のない消毒薬という意味である。一方、滅菌剤（sterilant）は、例えば、グルタールアルデヒドのように、一定の条件下で、ウィルス、増殖性細菌のほかに、細菌胞子も破壊できる化合物である。

　また、滅菌はオートクレーブでの加熱（加湿加熱）、加熱空気によるオーブン処理（乾燥加熱）、γ線照射、膜ろ過などの物理的方法、化学的方法（酸化エチレンガスなど）、あるいは物理化学的方法（低温蒸気とホルムアルデヒドの併用など）で可能である。このような方法のなかで、オートクレーブだけが簡単で、しかも、病院内で広範囲に使用できる方法であるが、この方法は、フレキシブルなファイバー・オプティックな内視鏡や多くのプラスチック製器具など、熱に不安定なものには不適である。しかし、滅菌法は、ほとんどの目的について標準化され、また、中央滅菌材料部（HSSD）が増え、さらに、ディスポーザブル滅菌器具が製造されるようになったため、医療、および看護にあたる人々にとっては、自ら、滅菌処理を組織的に行ない、管理する負担が、大幅に軽減されることになった。

　一方、消毒法では、煮沸などの物理的方法が最も良く、煮沸法は、有機物が存在していても、一部の細菌胞子を除くすべての微生物を死滅させることができる。

また65〜80℃の低温蒸気法、およびパスツリゼーション法も、増殖性細菌やウィルスに対して、非常に有効である。さらに、便器洗浄低温殺菌器、洗濯機、食器洗浄器など、洗浄と加熱法の併用もよく行なわれている。

また化学消毒法は、消毒薬の活性に影響を与える要因が多く、また、多岐にわたっているので、本質的に複雑である。例えば、微生物の種類によって、様々な消毒薬に対する感受性が異なるのである。すなわち、グラム陽性菌は、通常、感受性が高いが、グラム陰性菌はそれほどでもなく、また、結核菌は比較的耐性があり、胞子は非常に耐性が高い。ウィルスも、また、形態によって、消毒薬に対する反応が様々であり、脂質含有ウィルスは、一部のフェノール剤で死滅させることができるが、脂質非含有ウィルスは、耐性を示す傾向がある。

また、ほとんどの消毒薬は、抗菌スペクトルが限られていて、殺胞子作用のあるものはほとんどない。さらに、消毒薬は、器具に血液、あるいは膿などの汚れが付着していたり、便器に糞便が残っている場合は、薬物が浸透しないかもしれないので、表面の清浄なものにのみ、使用すべきである。また、あらゆる種類の有機物、親和性のない洗浄剤、硬水、コルク、ゴム、プラスチックなどの物質により、消毒薬が不活化されることがある。

また、消毒薬は不安定であり、化学分解が生じると、溶液では、抗菌活性が、ほとんどか、あるいは全く失われ、このため、緑膿菌（シュードモナス）など多様な細菌の増殖を促進することがある。従って、希釈液は、清潔な、できれば加熱処理をした容器を使って、定期的に調製することが重要である。また、消毒薬は多くの場合、腐蝕性があり、取り扱いにあたっては、保護服、およびディスポーザブル手袋を着用する必要がある。さらに、消毒薬に浸したものは、通常、浸漬後に完全にすすぐ必要があるが、この時、再汚染が生じることがあるので注意する。

また、消毒薬の抗菌活性は、pHによって変ることが多く、例えば、フェノール剤や次亜塩素酸塩は、酸性条件下で活性が高く、一方、四級アンモニウム化合物やグルタールアルデヒドなどは、塩基性条件下で活性がより高い。しかし、活性が高い場合は、同時に安定性が悪いということでもあり、例えば、次亜塩素酸塩は低pH値、また、グルタールアルデヒドは高pH値の製剤とし、使用直前に、緩衝剤で最適のpH値に調製するようになっているが、そうすると、調製後の使用期限は短かくなる。

また、消毒薬の殺菌速度も、種類によって、非常にまちまちである。例えば、次亜塩素酸塩やアルコールは速効性で、表面がきれいであれば、増殖性細菌をわずか1〜2分間で殺菌するが、一方、他の消毒薬のなかには、数時間を要するものもある。

また、殺菌というよりも、むしろ細菌増殖を阻止するだけのものであって、殺菌剤というより、静菌剤というものもある。例えば、四級アンモニウム化合物は、低濃度では、主として静菌作用を示し、高濃度になると、殺菌作用を示す。このように考えてくると、化学消毒薬は、効果が不確かであることが多く、可能であれば、物理的消毒法の方が好ましいことが分かる。一方、効率のよい洗浄を行なうと、細菌胞子を含むいかなる微生物でも、高率に除去することができるので、病院では、多くの場合、環境、あるいは器具などは完全に洗浄するようにするとよい。

例えば、病院の床、壁などは、院内日常業務として、洗浄すれば通常は十分であり、さらに化学消毒を行なうことは無駄である。同様に、病棟では、ロッカーの上部、家具類、棚などは、表面が糞便、膿、喀痰などで汚染されていない場合は、やはり洗浄だけで十分である。また、陰イオン系、あるいは非イオン系の洗浄剤は、洗浄活性がすぐれ、通常、環境の洗浄に利用され、一方、陽イオン系洗浄剤(例：四級アンモニウム化合物)は、ある程度、抗菌活性も示すが、通常、洗浄効果は劣り、創傷の洗浄に使用されることが多い。

消毒、あるいは滅菌方法の選択は、処理するものの種類、処置すべき細菌の種類、汚染除去の時間、病院関係者、あるいは患者にかかるリスクなど、多くの要因に左右される。器具、および環境に由来する患者のリスクは、以下のように分類できると思われる。

a) **高リスク**：皮膚、あるいは粘膜の損傷部位に接触するか、あるいは身体の無菌領域に導入される器具。このカテゴリーには、手術用器具、注射器、注射針、尿路カテーテル、その他のカテーテル、非経口液剤などが含まれる。このカテゴリーに含まれるものは、通常、滅菌処理が必要である。

b) **中程度リスク**：無傷の皮膚、または粘膜と密接に接触する器具で、例えば、呼吸器用器具、ガストロスコープ、便器、蓄尿器などがある。このカテゴリーに含まれるものは、洗浄で十分である場合もあるが、通常は、消毒が必要である。

c) **低リスク**：患者、あるいは直接の患者周囲に、密接に接触しない器具、または環境の一部で、例えば、床、壁、天井、シンク、ドレンなどがある。通常、洗浄をするのが適切であるが、隔離病棟、手術室など、高リスクの環境と分類される領域もあり、このような所では、消毒法が望まれる。

2
化学消毒薬の特性

2.1 環境消毒薬

2.1.1 フェノール剤

表1は、フェノール系消毒薬の使用希釈度(使用濃度)を示したものである。

a) 透明溶解性フェノール剤

例:透明溶解性フェノール剤の例としては、Hycolin、Stericol、Clearsol がある。

特性:透明溶解性フェノール剤の特性は、以下に示す通りである。

- 結核菌をはじめとして、広範な殺菌活性スペクトルを示す。
- 細菌胞子に対する活性は低い。
- 殺真菌活性にすぐれ、殺ウィルス活性も、ある程度示す。
- 有機物質によって、容易に不活化されない。
- 陽イオン系洗浄剤と親和性がない。
- ゴム、プラスチックなどに吸収される。
- 皮膚と過剰に接触しないようにすべきである。
- 食事の準備をする領域、あるいは皮膚、または粘膜と接触する器具には、使用してはならない。
- 通常、洗浄剤を含有する。
- 安定性がすぐれている。
- 安価で、環境消毒あるいは検査室の廃棄用ジャーに有用である。

b) 黒液、および白液

例:Jeyes液、Izalがこの例である。

特性:特性は、一般的に上述の透明溶解性フェノール剤と同様である。黒液、および白液の方が安価であるが、刺激が強く、汚れがひどく、臭気も強い。

c) Chloroxylenols

例:Dettol(p-chlorom-xylenol)がこの例である。

特性:Chloroxylenolsの特性は、以下の通りである。

- グラム陽性菌に対する活性は適切であるが、一部のグラム陰性菌に対する活性は劣る。キレート剤を添加すると、改善がみられる。
- 広範な物質によって、容易に不活化される。

- 腐蝕性、刺激性がない。
- 病院内環境、あるいは、器具への使用は奨められない。

表1　フェノール系消毒薬の推奨希釈濃度

消毒薬	メーカー	通常濃度 ("きれいな"状態の対象物) (%, v/v)	高濃度 ("汚れた"状態の対象物) (%, v/v)
Clearsol	Tenneco Organics Ltd.	0.625	1.0
Hycolin	William Pearson Ltd.	1.0	2.0
Stericol	Sterling Hospital Products	1.0	2.0
Izal	Sterling Hospital Products	1.0	2.0

2.1.2　ハロゲン剤

a)　次亜塩素酸塩、dichloroisocyanurates

例：この種の市販消毒薬としては、Chloros、Domestos、Sterite、Milton、Kirbychlor、Preseptなどがある。

特性：この種の消毒薬の特性は、以下の通りである。

- 殺菌、殺真菌、殺ウィルス活性のスペクトルが広範である。
- 速効性。
- 特に、緩衝剤でpHを約7.6に調製すると、速効性殺胞子作用を示す。
- B型肝炎ウィルスをはじめ、ウィルスに対する消毒薬として奨められる。(p.8 表2参照)
- 有機物質によって中等度～高度に不活化される。
- 陽イオン系洗浄剤と親和性がない。
- 高濃度次亜塩素酸溶液は、保存によって、徐々に効力が低下し、この効力低下は、光、熱、重金属イオンによって加速する。
- 次亜塩素酸希釈液は、効力低下が速く、毎日、調製する必要がある。
- Kirbychlor、PreseptなどSodium dichloroisocyanurate(NaDCC)の錠剤は、急速に溶解し、塩素を発生する。
- 上記の錠剤は、乾燥保存にすると安定であるが、溶液にすると非常に不安定である。
- 次亜塩素酸と酸を混合しないように注意しなければならない。混合すると塩素ガスが発生する。

- ホルムアルデヒドの存在下で、次亜塩素酸塩を使用してはならない。反応により、発癌性物質が生じる。
- 低濃度では、毒性はない。
- 食事準備室、および調乳室でも有用である。
- 特にウィルスの存在する場合は、検査室の消毒に有用である。
- 次亜塩素酸ナトリウムは安価である。NaDCCの方が便利であるが、比較的高価である。

表2　次亜塩素酸塩の用途と溶液の力価

用途	原液希釈割合*	有効塩素量	
		%	p.p.m.
	非希釈	10**	100,000**
B型肝炎患者の血液の汚れ	1/10	1.0	10,000
試験室用ピペット、容器類、通常の血液の汚れ	1/40	0.25	2,500
通常の環境消毒用	1/100	0.10	1,000
小児用、その他の給食用具	1/800	0.0125	125

出典：Shanson,D.,J.Hosp.Infect.1980,1,88-89
＊Chloros,Domestos,Sterite,etc.
＊＊概略値

b)　四級アンモニウム化合物（QACs）

例：この群の消毒薬の例としては、Roccal、Zephiran、Cetavlonがある。

特性：QACsは、消毒薬として、以下のような特性を有する。

- グラム陰性菌よりも、グラム陽性菌の方に、活性が高い。
- 細菌胞子に対する活性は、全くない。
- 結核菌に対する活性は、全くない。
- 殺真菌作用は、すぐれている。
- ある種のウィルスに対して、活性を示す。
- 低濃度では、殺菌的というより、むしろ静菌作用を示す。
- 普通石ケン、陰イオン系洗浄剤、および有機物質によって、著明に不活化される。
- 希釈液では、グラム陰性桿菌による汚染、増殖が問題である。
- 全て、ある程度の洗浄作用を示す。
- 食事サービス部門で、ある程度使用できるが、院内の一般使用は、奨められない。
- 両性界面活性剤(例：Tego)は、QACsと同様な特性を有する。

2.2　皮膚消毒薬

2.2.1　Diguanides(Chlorhexidine)
例：この群の消毒薬としては、例えば、Hibitane、Savlon とがある。

特性：ジグアニド系消毒薬の特性は、以下の通りである。

- グラム陰性菌よりも、グラム陽性菌に対して、活性が高い。
- 結核菌に対する活性はない。
- 細菌胞子に対する活性はない。
- 殺真菌作用は、すぐれている。
- ウィルスに対する活性は、ほとんどない。
- 毒性、刺激性が低い。
- 有機物質、石ケン、陰イオン系洗浄剤によって不活化される。
- 皮膚、および粘膜＊の消毒薬として、最も有用である。
- Savlonは、ChlorhexidineとCetrimideの混合剤であり、Cetavlon（Cetrimideのみ）と同様、汚染創傷の洗浄に、よく使用される。

註）＊日本では、昭和60年8月より粘膜への使用は結膜嚢を除いて禁じられている。（訳者追加）

2.2.2　アルコール
例：消毒によく使用されるアルコールとしては、エタノール、イソプロパノールがある。

特性：消毒薬としてのアルコールの特性は、以下の通りである。

- 結核菌に対する活性は疑わしいが、殺菌作用はすぐれている。しかし、殺胞子作用はない。
- 殺真菌作用は、すぐれている。
- ほとんどのウィルスに対し、殺ウィルス作用を示す。
- 速効性。
- 揮発性があり、皮膚、その他の表面の速乾性消毒薬として、特に有用である。
- 常用濃度は、エタノールで70％、イソプロパノールで60〜70％であるが、共に、皮膚では、最高95％まで、有効に使用することができる。
- 希釈せずに、原液のまま使用する。
- 有機物質、特に、蛋白ベースのものには、浸透しない。物理的に清浄な面にのみ、使用すべきである。
- 引火性があり、ジアテルミーの前に、環境消毒、または皮膚消毒にアルコールを使用する時は、注意が必要である。

- 術前皮膚消毒では、他の殺菌剤 (例：Chlorhexidine、Iodine、Triclosan)のベースとして使用することができる。
- 注射前の皮膚、その他の表面の消毒に、アルコール含浸脱脂綿や布を使うことができる。

2.2.3 ヨウ素剤、およびヨードホール

例：この群の皮膚消毒薬としては、水性ヨウ素剤、ヨードチンキ、Betadine、Disadineがある。

特性：皮膚消毒薬としてのヨウ素剤、およびヨードホールの特性は、以下の通りである。

- 殺菌作用、殺真菌作用、殺ウィルス作用のスペクトルが広範である。
- 細菌胞子に、ある程度の活性を示す。
- 金属を腐蝕させることがある。
- 速効性。
- ヨードチンキ、およびヨウ素水溶液は、皮膚反応を生じることがある。
- ヨードホール (例：Betadine、Disadine)は、ヨウ素と担体の結合剤であり、しみを生じず、刺激性もない。

2.2.4 Hexachlorophane

例：市販のHexachlorophane消毒薬としては、Ster-Zac DC と Ster-Zac 粉末がある。

特性：Hexachlorophane消毒薬の特性は、以下の通りである。

- グラム陰性菌よりも、グラム陽性菌に対する活性の方がすぐれている。
- 他の抗菌活性は、ほとんどない。
- 水溶液の細菌汚染が問題になることがある。
- Hexachlorophane乳剤を繰り返し使用すると、乳幼児では、皮膚吸収により、毒性の生じる心配がある。
- Hexachlorophane含有粉末の使用により、新生児で、黄色ブドウ球菌のコロニー形成をある程度、防ぐことができ、重大な毒性作用の生じるリスクはない。
- 皮膚に対する残存効果がすぐれている。
- 手術時の手指消毒、あるいは、ブドウ球菌感染発生時に、成人に使用することができる。

2.2.5 Triclosan

例：Triclosan消毒薬の例としては、Manusept、Ster-Zac浴用濃縮液、pHiso-MED、Zal Cleanse、Cidalなどがある。

特性：Triclosan消毒薬の特性、および抗菌スペクトルは、前記2.2.4で述べたHexachlorophane消毒薬と同様である。Triclosan消毒薬は、新生児で、毒性作用を示さないが、英国では、新生児病棟での使用を制限している。

2.3 器具消毒薬

2.3.1 アルデヒド類

a) グルタールアルデヒド

例：市販のグルタールアルデヒド消毒薬には、Cidex、Asep、Totacideなどがある。

特性：医療器具用消毒薬としてのグルタールアルデヒドの特性は、以下の通りである。

- 殺菌作用、殺真菌作用、殺ウィルス作用のスペクトルが広範である。
- 結核菌に対する活性がある。
- 細菌胞子に対する活性はすぐれているが、効果発現が遅い。
- 眼、皮膚、および気道粘膜に対して、刺激性がある。
- ほとんどの製剤が、金属、その他の物質に対して、腐蝕性を示さない。
- 有機物質による不活化は、ほとんどなく、徐々に浸透する。
- アルカリ性にした溶液は、使用期限が限られている。(14〜28日間)
- 酸性溶液の場合は、安定であるが、アルカリ性溶液に比べて殺胞子に時間がかかる。
- グルタールアルデヒドは、加熱滅菌のできない器具(例：内視鏡)の消毒に有用であるが、高価である。

b) ホルムアルデヒド

ホルムアルデヒドは、主として、くん蒸ガス剤として使用する。くん蒸の効果を上げるためには、湿度、温度、およびホルムアルデヒド濃度を注意深く管理することが必要である。ホルムアルデヒド溶液は、非常に刺激性が強く、一般消毒に使用できない。

c) その他のアルデヒド

Succine dialdehyde(Gigasept)など、その他のアルデヒドの特性は、通常、グルタールアルデヒドと同様である。

2.3.2 四級アンモニウム化合物(QACs)

例：この群で、器具消毒薬として使用される最も一般的なものは、Dettox である。

特性：p.8参照のこと。Dettox は、抗菌スペクトルを改善するために、Ethylenediaminetetraacetic acid(EDTA)を含有している。Dettox の他の使用法としては、ファイバースコープ(内視鏡)を次の患者に使用する前に、この液で洗浄する場合がある。(p.24参照)

3

特に重要な微生物

3.1　細菌胞子と結核菌ほか

　クロストリジウムなどの細菌のなかには、一般に使用されているほとんどの消毒薬に抵抗性を示し、煮沸しても、死滅しない胞子を産出するものがある。このような細菌では焼却とオートクレーブが、最も信頼できる殺菌法である。一方、アルカリ性グルタールアルデヒド2％溶液では、米国の公認試験（AOAC test）の結果から、場合によっては、10時間処理が奨められるが、通常、3時間で胞子は死滅する。また、緩衝剤でpH7.6とした次亜塩素酸溶液は、グルタールアルデヒドより、殺胞子作用は速効性であるが、器具を損傷することがある。皮膚、あるいは粘膜の損傷部位に接触する手術器具、装置などでは、胞子を死滅させることが重要である。しかし、細菌胞子感染のある患者の周辺環境を消毒する必要はない。真菌胞子は、消毒薬で、容易に死滅させることが可能で、問題にはならない。

　一方、結核菌は、他の増殖性細菌に比べて、ほとんどの化学消毒薬に対して、抵抗性を示すが、胞子ほどではない。結核患者の分泌物で汚染されたものは、できれば焼却、またはオートクレーブ処理すべきである。例えば、沸騰した湯で5～10分間煮沸するか、2％アルカリ性グルタールアルデヒド、または1～2％透明溶解性フェノール（製剤によって異なる）で20～30分間処理すれば、結核菌は死滅するが、喀痰の浸透が問題である。

　フェノール消毒薬は、表面消毒に使用できると思われる。一方、解剖室では、検査開始前に、結核患者の遺体の肺に10％ホルマリンを導入するのがよい（細菌検査用サンプル採取後）。（DHSS 1978）
さらに精査が必要なため、保存する肺は、密閉容器に10％ホルマリン液に浸して保存する。

　レジオネラ菌（在郷軍人病起炎菌）は、塩素系の消毒薬に比較的感受性があるが、大腸菌ほど弱くはない。
清潔な状態では、3～5p.p.m.の有効塩素で殺菌でき、また、50～100p.p.m.であれば、速やかに殺菌される。ここで重要なことは、塩素処理を行う前に有機物、例えば藻類（植物）、排管内スケール、サビは取り去る必要がある。また、塩素によって腐蝕されるかどうかも、できるだけ検討しなければならない。

その他の四級アンモニウム塩のような消毒薬は、レジオネラ菌には、効果の点でばらつきがあるので、塩素のようには効果的ではない。したがって、塩素と同じように、これらを使用する前には十分検討すべきである。

3.2 ウィルス

B型肝炎ウィルスは、ほとんどの増殖性細菌、および他のウィルスに比べて、熱処理、または化学消毒薬に抵抗性を示すが、通常の滅菌法、あるいは沸騰した湯に5〜10分間浸すことによって、不活化できる。また、2％グルタールアルデヒドを使用すると、30〜60分間、あるいは、これよりもはるかに短時間で、ウィルスを不活化できると思われる。しかし、このウィルスは、まだ、in vitroでの増殖に成功していないので、消毒薬の効果は、不確定である。一方、こぼれたりして、環境が汚染された場合は、次亜塩素酸塩で処理する。(p.8 表2参照)
フェノール、四級アンモニウム化合物、クロールヘキシジンなどは、有効であるとは考えられず、アルコールの作用には、ばらつきがある。

一方、ラッサ熱、その他の出血性発熱を生じるウィルスは、通常、熱処理、2％グルタールアルデヒド、あるいは次亜塩素酸溶液で死滅する。また、病棟、その他の施設、救急車などの完全消毒については、DHSS(1976)を参照すること。これは、ホルムアルデヒドくん蒸消毒のいくつかの適応のひとつである。

また、狂犬病ウィルスも、熱処理、グルタールアルデヒド、次亜塩素酸溶液によって、同様に死滅する。(DHSS 1977)

クロイツフェルド・ヤコブ病は、「スローウィルス」によって発病すると考えられているが、起因ウィルスは、まだ、同定されておらず、in vitroで培養されていない。このウィルスは、熱処理、あるいは、化学消毒で不活化することが困難であるが、134〜136℃で18分間(3分間処理を6回行う)オートクレーブするか、あるいは次亜塩素酸溶液(10,000p.p.m.)で30分間処理すると、有効であると思われる。しかし、グルタールアルデヒド、およびホルムアルデヒドでは、不活化できないと思われる。

AIDSウィルス(Acquired immunodeficiency symdrome、後天性免疫不全症候群)、HTLV-Ⅲ(Human T-Lymphotropic Virus-Type Ⅲ)は、よく使われている抗ウィルス剤で、簡単に殺菌されると思われる。

4

消毒法基準

4.1 目的

　基準を設置する目的は、消毒の担当者に、使用する薬剤、方法などを熟知させるためである。

　また、基準は、全ての層の医療従事者にとって有用であり、看護従事者とその他雑務従事者など、専門分野間の協力を促進するものでなくてはならない。さらに、器具、皮膚、環境などの汚染除去の方法(例：滅菌、消毒、洗浄など)を定義し、標準化するものであり、病院全体で、同様な目的に対しては、同じ消毒薬を、同じ濃度で使用することを、規定するものでなければならない。また、消毒薬の不必要な使用をなくすことによって、コストを削減し、消毒薬の種類を少なくすることによって、大量購入を可能にし、従ってコストを低くするものでなくてはならない。

　一方、新しい消毒薬の出現、あるいは消毒法の変化により、しばしば、基準を改訂する必要がでてくることが考えられるので、ルーズリーフ式のホルダーを使用すると、経費が少なくて済み、改訂もしやすいと思われる。

4.2 組織化とスタッフの教育訓練

　病院消毒基準の作成は、院内感染防止委員会が行ない、一方、検査室基準は、微生物学者、主任MLSO／技師、または安全担当者が作成する。感染防止委員会は、通常、感染防止担当者でもある微生物学者、感染防止担当看護婦、および薬剤師で構成されるが、資材部から消毒薬を発注する時には、管理、および用度担当の部長も会議に参加してもらうのがよい。

　また、消毒薬の使用法については、感染防止担当看護婦、あるいは微生物学者が、看護、および現場担当スタッフの教育を行なう。

　一方、検査室スタッフは、微生物学者、主任MLSO／技師、または他の適当な経験豊かな安全現場責任者が指導を行なう。

　また、感染防止担当看護婦は、全ての関連部門に消毒基準について知らせ、基準が守られているかどうか、監督しなければならない。また、新しい看護スタッフに消毒基準について知らせ、管理部、給食部、遺体収容室、検査室などのスタッフの教育訓練の準備を行なうことは、特に重要である。

また、正しい希釈液を使用すること、原液を直接皮膚に触れないようにすること、必要に応じて手袋を着用することなどが、重要であることも強調すべきである。

4.3　基準作成

1. 皮膚、環境、器具など、消毒薬がよく使用される用途をリストアップする。
2. 次のように、他の方法が適切な場合は、消毒薬を使用しない。
    a) 手術用器具、移植片、包帯類、注射針など滅菌の必要な場合。
    b) リネン類、陶器、および刃物類の洗浄機、便器、蓄尿容器など、熱処理のできる場合。
    c) 床、壁、家具類など、洗浄法が適切な場合。
    d) カテーテル、手袋、注射器（通常、中央滅菌材料部より供給される）など、ディスポーザブルなものを使う方が、経済的である場合。
3. 他の目的にも、汎用性のある消毒薬を選ぶ。
4. 出来る限り、正しく希釈した消毒薬を供給するようにする。薄い溶液では、細菌増殖があり、また、濃い溶液は、腐蝕性を示すことがある。容器には、支給日を明記し、使用期限を過ぎたものは、使用してはならない。また、容器に消毒薬をつめ替える時は、必ず洗浄し、出来れば乾燥させる。場合によっては、希釈せずに、原液のまま供給することが必要になることがある。この場合は、消毒薬と水を計量するための適当な器具が必要であるが、これには、サーシェ(計量器)が有用である。

4.4　消毒薬の選択

1. 殺菌性のものであり、抗菌スペクトルが広範囲で、表面消毒に使用する場合は、速効性のものでなければならない。
2. 有機物質、石ケン、硬水、プラスチックなどにより、容易に殺菌作用が中和されるものであってはならない。
3. 使用希釈度で、比較的、腐蝕性のないものでなければならない。
4. 皮膚に使用する場合は、刺激性のないものでなければならない。
5. 安価なものでなければならない。

1種類の消毒薬で、このような条件を全て満たすことはできないが、通常、透明溶解性フェノール剤と次亜塩素酸があれば、環境消毒には十分である。四級アンモニウム化合物、あるいは pine fluid のような抗菌スペクトルの狭い消毒薬は避けるべきである。また、2%グルタールアルデヒドは、医療器具の消毒に必要であり、70%アルコールは、体温計など、一部の器具を短時間で消毒するのに必要であろう。さらに、クロールヘキシジン、ポビドンヨード、70%エタノールなど、低毒性の高価な消毒薬も、皮膚消毒、あるいは皮膚、または粘膜と接触すると思われる器具の消毒に必要であろう。

　代表的な院内消毒基準を添付資料2(p.37)に要約して示す。

5
環境、皮膚、医療器具の洗浄と消毒

5.1　環境の消毒

　洗浄剤で表面洗浄を行なうと、80％の微生物が除去され、消毒薬を使用すると、90～99％が死滅または除去される。この場合の微生物の大部分は、正常皮膚細菌叢、または通常の胞子であり、ほとんどの患者にとって、感染源となるものではないと思われる。

5.1.1　病棟、および手術室
　ヒトの出入の多い病棟の床、および備品類の表面などは、洗浄後、急速に再汚染され、ルーチンに化学消毒を行なっても、ほとんど無駄である。消毒薬の噴霧は、不必要であり、奨められない。また、汚染したものがこぼれた場合は、透明溶解性フェノール剤、または次亜塩素酸溶液を「汚染」状態用の希釈液にして、拭き取らねばならない。(p.7 表1、p.8 表2 参照)
　一方、手術室の床は、手術が終了するたびに、洗浄しなければならない。汚染したものがこぼれた場合を除いて、消毒薬は不要である。また、床は週1回、水で流し、残余洗浄剤、または消毒薬を除去して、帯電しないように保っておく必要がある。
　また、壁、および天井は、ひどい汚染が生じることは、ほとんどない。病棟では、年1回、また手術室では、年4回の洗浄で、通常は十分である。

5.1.2　浴槽、および洗面所
　浴槽は、1日1回と使用後に、完全に洗浄することで、通常は十分である。しかし、感染症発生時、および感染患者の使用後は、浴槽と蛇口を消毒するのがよいかもしれない。研磨性のない次亜塩素酸粉末が、通常、奨められるが、次亜塩素酸と洗浄剤の混合溶液を代わりに使ってもよいであろう。最新型の浴槽では、必ず、研磨性のない粉末、またはクリームを使用し、また、洗浄剤と次亜塩素酸塩を混合する場合は、親和性に問題がないことを確認することが必要である。(p.7参照)
　ブドウ球菌感染症用のSteribath、Savlon、あるいはSter-Zacなどの消毒溶液を、感染した病変のある患者の浴槽に添加すると、湯の汚染が少なくなり、また、浴槽表面に付着する細菌も少なくなるかもしれない。

しかし、消毒薬を添加した場合であっても、使用後は、やはり洗浄が必要である。

　一方、洗面器は、毎日洗浄しなければならない。しかし、シンクや排水管は直接熱しても、院内感染を少なくするという意味では、効果は疑わしい。

5.1.3　便所、および排水管

　便座とハンドルは清潔に保ち、少なくとも1日1回、洗浄しなければならない。また、感染症発生時は、消毒が必要であろう。次亜塩素酸、または透明溶解性フェノール剤溶液を使用するのがよいと思われるが、次に使用する前に、必ず、便座をすすいでおく必要がある。また、便器とシンクの排水口は、定期的に洗浄しなければならないが、便器を消毒し、消毒薬を排水管に流し込むのは、効果があるとは考えられない。

5.1.4　洗面器

　洗面器は、洗浄、乾燥し、裏返して保管しておかねばならない。また、感染患者が使用した場合は、フェノール剤、または次亜塩素酸溶液で洗浄し、次に完全にすすぎ、乾燥し、裏返して保管する。集中治療室など、リスクの高い所では、各患者に個人用洗面器を使用するのが望ましく、次に、別の患者に使用する前に、完全消毒を行なう。

5.1.5　厨房

　食物による感染は、化学消毒薬を使用するよりも、むしろ適切な調理、調理台などの表面の洗浄、正しい冷蔵温度の維持、調理器具の加熱消毒など、主として、衛生状態を保つことによって防止できる。また、食器洗浄機は、最終すすぎの時の温度が、少なくとも80℃になるようにするか、または、温度と時間を適当に組み合わせて、確実に消毒ができるようにしなければならない。食器洗浄機がない場合は、一般病棟では、完全に洗浄し、すすぎ、乾燥すると十分であるが、結核、ウィルス肝炎、サルモネラ症、あるいは、その他の感染症のある患者では、ディスポーザブルなものが必要であると思われる。

　消毒薬は、微生物学者の指示に従って、特別な場合のみ、使用すべきである。厨房での使用に適当な消毒薬は、次亜塩素酸塩(有効塩素濃度：120〜200p.p.m.)であるが、次亜塩素酸塩で腐蝕が生じると思われる場合は、四級アンモニウム塩がよい。また、消毒薬を使用する面は、予め、洗浄しておかねばならない。一方、フェノール系消毒薬は、非常に低濃度でも、食物を汚染するので、厨房では、使用してはならない。

また、手指消毒薬(クロールヘキシジン、ポビドンヨード、triclosan)は、微生物学者の指示に従ってのみ、使用すべきである。

5.1.6 掃除用具

掃除用具は、主要な感染源、あるいは感染経路ではないが、清潔に保ち、乾燥して保管すべきである。例えば、電気掃除器は、効率のよいフィルターを付け、排気は、床から直接に行なうべきである。また、油に浸したモップ、あるいは、ほこり取り用モップは、モップ・ヘッドを定期的に交換(例：2日毎)すれば、ほこりの拡散を少なくすることができる。しかし、箒は、ほこりを立たせるため、使用してはならない。

また、床用の濡れたモップは、使用後、すすぎ、乾燥しておかねばならない。必要に応じて、一度、洗浄してから、次亜塩素酸溶液(1,000p.p.m.)、またはフェノール溶液に、30分間浸して、消毒してもよい。フェノール溶液に浸しておく時間を長くすると、消毒薬に耐性を示すグラム陰性桿菌が残ることがあるので、これは奨められない。また、フェノール溶液は、一部、プラスチックのモップ・ヘッドで不活化されることがある。特に、手術室で使用したモップについては、オートクレーブ、または洗濯機を使った消毒をするのがよい。また、モップを浸すバケツは、洗浄し、裏返しにして保管する。洗浄装置は、タンクを完全に空にして、洗浄し、乾燥できるような設計になっていなければならない。

5.2 皮膚と粘膜の消毒

5.2.1 緒言

皮膚細菌は、実際的な面からみて、「常在菌」と「一過性菌」に分類できる。「常在菌」は、主として、コアグラーゼ陰性ブドウ球菌、およびジフテロイド菌であり、皮膚上で増殖し、洗浄、あるいは消毒により、容易に除去できない。一方、「一過性菌」は皮膚上に付着しているが、通常、皮膚上で増殖することはなく、例えば、クレブシェラ属など、洗浄、または消毒によって、通常は除去できる。

手指上の「一過性菌」を除去、または死滅させることは、**手指衛生消毒**と呼ばれることが多く、一方、「常在菌」を死滅させることは、**外科的手指消毒**といわれる。また、手術部位の術前消毒では、「一過性菌」を死滅させ、「常在菌」も、できるだけ多く殺菌する。

5.2.2　手指衛生消毒

　医療従事者の手指に、一過性に付着している細菌は、病棟の感受性の
ある患者に院内感染の危険をもたらす。消毒薬の併用の有無に関らず、
石ケン、または洗浄剤で、ていねいに、定期的に洗浄すると、一般的に、
一過性菌の除去には有効である。別の消毒法としては、少量の70%エタ
ノールと皮膚軟化剤(例：1%グリセロール)を使う方法があるが、この場
合、さらに、消毒薬を併用しても、しなくてもよい。70%エタノールと
皮膚軟化剤を手指にすり込みながら、乾燥させる。この方法は、手指が
あまり汚れていない場合、シンクが手近にない場合、あるいは、急いで
消毒しなければならない場合などに、手指洗浄に代わる、便利で有効な
方法となる。しかし、一定時間をかけて、手指を全面的に、完全に洗う
ことが重要である。

5.2.3　術前手指消毒

　使用する消毒薬は、使用者にとって、十分に耐容性があり、殺菌率が
高く、手指と手袋の間の湿った環境で、手術中に、「常在菌」を低いレベ
ルに保っておくことが、できるものでなければならない。現在、使用さ
れ、また、広く受け入れられている製剤には、4%クロールヘキシジンと
洗浄剤の混合溶液(ヒビスクラブ)、およびヨウ素濃度0.75%のポビドンヨ
ードと洗浄剤の混合溶液(例：術前手指消毒用Betadine)がある。
このような消毒薬は、「常在菌」減少に対する累積効果を得るため、手術
時に、手指洗浄を行なう場合、必ず使用するようにする。洗浄は、ブラ
シによるスクラブをせずに、2分間、行なうだけで十分である。何回も
スクラブをすると、皮膚に傷が生じて、常在菌の菌数が増加し、ブドウ
球菌が、手指上でコロニーを形成することがある。

註)我が国では、ブラシ洗いが普及している。スクラブの技術をマスターして、
　　やわらかいブラシでスクラブすることが望ましい。(訳者追加)

　また、より新らしい、速効性のある方法として、0.5%クロールヘキシ
ジン、またはtriclosanのような他の抗菌剤のアルコール溶液(通常、70%
イソプロパノール)を、手指と前腕に乾燥するまで、強くすり込む方法
がある。1回に5mℓ使って、2回、すり込む方法が奨められる。

5.2.4　患者の皮膚、および粘膜の術前消毒

　術前スクラブと同様、患者の術前皮膚消毒に使用する消毒薬は、主と
して、「常在菌」に効力のあるものでなければならない。また、術野に使
用する最終的なものは、速効性があり、持続性抗菌作用のあることが必
要である。

0.5％クロールヘキシジンのアルコール溶液、有効ヨウ素1％を含有する
ポビドンヨード、あるいは1％ヨウ素剤が、最もよく使われているが、
1％ヨウ素剤の70％エタノール溶液、またはヨウ化カリウム溶液は、皮
膚反応を生じることがある。また、アルコール溶液を使う時は、術前、
特に、ジアテルミー、"電気メス"などを使う予定の場合は、完全に乾燥
させておかねばならない。

　術前に2、3回、クロールヘキシジン、またはヘキサクロロフェンの洗
浄溶液で消毒すると、「常在菌」に対して、高度な累積効果が得られるが、
さらに、直前にクロールヘキシジンのアルコール溶液で、消毒する。こ
の方法は、移植などを含む、特にリスクの高い手術の場合に、有用であ
ると思われる。しかし、一般手術では消毒薬を使って、術前に1回入浴
させても、感染率に影響があるとは思われない。

　一方、深い創傷汚染がある場合、あるいは、皮膚に胞子形成菌が存在
する場合は、特に危険である。まず、洗浄剤、またはグリース溶媒ゲル
(Swarfega)で洗浄して、次に、水性ポビドンヨードの湿布（1％ヨウ素
含有）を、少なくとも30分間適用すると、胞子数は減少するが、ガス壊
疽のリスクがあると考えられる患者では、ペニシリンなどの予防投与が、
やはり必要である。

また、クロールヘキシジン、ヨウ素、またはポビドンヨードの水溶液を
使用すると、口腔粘膜の消毒に有効である。また、有効ヨウ素0.05％を含
有する0.5％ポビドンヨード(例：水性Betadineの5％溶液)を、腟内に圧
注し、次に、ポビドンヨードの腟内ゲルを使用すると、腟粘膜の消毒が
可能である。さらに、1％クロールヘキシジン産科用クリーム*を尿道に
注入すると、膀胱鏡検査、あるいは、カテーテル挿入前に、この部位を
消毒することができる。

註）＊日本では昭和60年8月より粘膜への使用は禁じられている。(訳者追加)

5.2.5　ブドウ球菌保菌者の処置

　鼻腔保菌者の場合は、その菌株によって、保菌者自身、または別のヒ
トに、感染が生じていなければ、治療は不要である。0.5％ネオマイシン
と0.1％クロールヘキシジンを含有する抗菌クリーム(Naseptin)、ネオマ
イシンとバシトラシン、または1％クロールヘキシジンを含む製剤など、
他の適切な抗菌剤を1日3～4回、1～2週間にわたって、外鼻孔に塗布し、
必要に応じてこれを繰り返す。しかし、フシジン酸、またはゲンタマイ
シンなどのような全身投与用抗生物質を、局所塗布に用いてはならない。

また、鼻孔と皮膚の両方の保菌者は、消毒洗浄剤(例：クロールヘキシジン、ポビドンヨード、または triclosan)を含有するもので定期的に洗浄し、1日1回(少なくとも1週間)入浴させる。

5.2.6　新生児におけるブドウ球菌のコロニー形成予防

　選択性抗菌剤は、乳幼児のブドウ球菌コロニー形成の予防に、有用であることが明らかにされ、一方、正常な「常在菌」叢は阻害されない。ヘキサクロロフェン含有粉末剤(Ster-Zac)を臍帯(通常、黄色ブドウ球菌コロニー形成の原発部位)に塗布すると、鼠径部、臀部、腋窩、および下腹部で、黄色ブドウ球菌のコロニー形成率が低下するが、一方、コアグラーゼ陰性ブドウ球菌の正常なコロニー形成は認められる。しかし、湿った臍帯では、グラム陰性桿菌が、選択的にコロニー形成することが、短所であると思われる。4%クロールヘキシジンと洗浄剤の混合溶液(ヒビスクラブ)*で、子供を入浴させるか、あるいは、感受性の高い部分を洗浄すると、ブドウ球菌のコロニー形成も少なくなり、感染発生時には有用である。

註)＊日本でのヒビスクラブ適応は、手指消毒のみである。(訳者追加)

5.3　医療器具の消毒

5.3.1　呼吸器用器具

　人工呼吸器、加湿器、および、これらに付随するチューブ、その他の器具は、緑膿菌などのグラム陰性桿菌による汚染がよく生じる。人工呼吸器は、患者1人に使用するたびに消毒するのがよいが、細菌ろ過性フィルター(加熱処理、またはシリコン含浸)で保護されたものでは、必要でないかもしれない。オートクレーブが、最も信頼性の高い殺菌法であるが、一般的な胞子を有する細菌は、呼吸器感染症の起因菌ではないため、滅菌は必ずしも必要でない。人工呼吸器のなかには、呼吸回路が、オートクレーブ処理のできるようになっているものもあるが、レザボアやチューブなど、ほとんどの付属品は、オートクレーブを何回も行なうと、寿命が短かくなる。また、人工呼吸器は、過酸化水素、またはホルムアルデヒドガスのくん蒸噴霧で、通常、消毒できるが、小型のものは、酸化エチレンガスで殺菌できることが多く、低温蒸気(LTS)でも可能であろう。

　一方、加湿器はオートクレーブ処理すべきであるが、これが不可能であれば、低温蒸気、または化学消毒薬(2%グルタールアルデヒド)で消毒してもよい。

加湿器のなかには、水の温度を70℃以上に上げることによって、消毒できるものもあるが、レザボア、チューブなどの部品は、低温蒸気で処理するか、あるいは、水浴上でのパスツリゼーション処理、または洗浄機による処理(70～80℃で10分間)のほうが望ましい。また、2％グルタールアルデヒドに20～30分間浸す方法も、よく行なわれるが、適当な装置を使用しない限り、加熱処理よりも、信頼性が低い。

　また、器具をグルタールアルデヒド液に浸す時は、刺激性の臭気が漏れるのを少なくするために、密閉容器を使用すべきである。さらに、グルタールアルデヒドは、皮膚に刺激を与えるので、取り扱いにあたっては、手袋を着用すべきである。

　また、グルタールアルデヒドは高価なので、通常、同じ溶液を繰り返し、使用することが必要である。溶液の使用期限は、製造業者の指示に違反しない限り、グルタールアルデヒド自体の安定性よりも、むしろ有機物による汚染量と使用希釈度によって異なる。従って、再使用期限を具体的に決めることは、不可能であるが、溶液の安定性とは関わりなく、少なくとも、2週間に1回、交換するのがよいと思われる。化学消毒薬、特にグルタールアルデヒドに呼吸器用器具を浸した場合は、完全にすすぐ(少なくとも3回)ことが重要であり、また、人工呼吸器を過酸化水素あるいは、特にホルムアルデヒドで処理した場合は、完全に通気することが必要である。加熱処理の効果も、定期的にチェックする必要がある。

　また、器具は、全て消毒前に十分洗浄し、消毒後は、乾燥しなければならない。フェース・マスクのように、ルーチンの処理としては、洗浄と乾燥だけで十分な品目もある。

5.3.2　内視鏡

　内視鏡、特に、フレキシブルなファイバー・オプティックのものは、導管や弁が小さいため、洗浄が困難であり、熱に不安定な部品が含まれていることが多い。このような器具は高価であるが、診療時間内に使える内視鏡が複数あれば、次の患者に使う前に行なう洗浄、消毒の時間を多くとることができる。(p.26 表3参照)

　手術用内視鏡(関節鏡、および腹腔鏡)は、滅菌処理が必要であるが、高温オートクレーブが可能であることはほとんどなく、これによって、器具に損傷が生じることがある。低温蒸気とホルムアルデヒド、または酸化エチレンガスによる滅菌が望ましいが、この方法は、ルーチンに使用できないことが多い。

2％グルタールアルデヒド液に3時間浸す方法が、これに代わる方法であるが、浸漬時間は、通常、次の患者に器具を使用するまでの時間に左右される。様々な患者で、連続的に内視鏡を使用する場合、次の患者に使用するまでに、どの位の時間、浸漬すべきかということは明白には分からないが、10〜20分間では、消毒が出来るだけである。しかし、よく洗浄した内視鏡では、細菌胞子は、ごく僅かしか存在せず、病原性細菌胞子は、通常、実験目的に使用されるものよりも、グルタールアルデヒドに対する抵抗性が弱い。

　一方、膀胱鏡については、胞子を有する細菌によって、尿路感染症が生じることは少ないため、最低5〜10分間、グルタールアルデヒドに浸漬するだけで十分であるが、適切な装置があれば、低温蒸気、またはパスツリゼーション法の方が望ましい。

　内視鏡検査中に、フレキシブルなファイバー・オプティック胃鏡を約10分間で、洗浄、消毒する必要が生じることがある。これが可能なのは、全てのチャンネル（通気管、水供給管、吸引－生検管）を洗浄、消毒できる装置を使用することだけである。しかし、次の患者に使うまでに、吸引－生検用チャンネルを洗浄、消毒する方法としては、手技により、ブラシでこすり、洗い流すだけで、通常は十分である。内視鏡の管理責任者は、以下の点を考慮すべきである。

1. 製造業者の指示に従って洗浄し、一定数の患者の検査開始前と終了後、および感染症のあることが分かっている患者の検査後は、グルタールアルデヒドを使って、長時間消毒を行なうべきである。（30分間）

2. 吸引－生検用チャンネルの洗浄は、自動洗浄消毒装置を使用する場合であっても、必ず、滅菌、または消毒したブラシで行なう必要がある。

3. 給水瓶、および付属器具は、一定の検査毎に消毒し、乾燥する。

4. 一定数の患者の検査が終了したら、チャンネルを洗浄、消毒し、できれば乾燥する。

5. チャンネルの洗浄、消毒は、使用する消毒薬の種類にかかわらず、ヒトの手で行なうより、機械で行なう方が、効率がよい。今日では、様々な価格の自動装置が多数あるが、給水チャンネル、吸引－生検用チャンネルと同様、通気チャンネルも洗浄できるものの方がよい。

6. 挿入管は、消毒薬に浸漬しなくても、十分に洗浄、消毒、乾燥が可能である。

7. 特に、製造業者の指示がない限り、コントロールボックスとライトガイド・コネクターは、消毒薬に浸漬してはならず、70％エタノールで、完全に拭くことによって消毒する。また、フレキシブルなファイバー・オプティック内視鏡は、ホルムアルデヒドの使用の有無に関わらず、オートクレーブ、または低温蒸気(LTS)による処理をしてはならないが、現在では、完全に浸漬してもよいフレキシブルな内視鏡もある。また、このような最新設計の内視鏡のチャンネルは、手で洗浄しても、十分に効果が上がるが、やはり、機械洗浄の方が望ましい。

　2％アルカリ性グルタールアルデヒドは、抗菌スペクトルが広く、金属腐蝕性がなく、さらにプラスチック、ガラス、レンズセメントなどに損傷を与えないので、適しているが、ヒトに毒性作用、粘膜刺激作用などがあり、術者の中には、アレルギー性皮膚反応を生じることがよくある。ポビドンヨード、70％アルコール、さらに四級アンモニウム塩とEthylene-diaminetetraacetic acid(EDTA)の混合剤(例：Dettox)などを代りに使ってもよいが、これらは、全てに短所(表3)がある。

表3　内視鏡の消毒：消毒薬の特性

消毒薬	抗菌活性※				内視鏡	
	栄養型細菌	Myco-bacteria	細菌胞子	Viruses	損傷の可能性	毒性/刺激性
推薦品						
グルタールアルデヒド2％剤 (Cidex, Totacide, Asep)	＋	＋	＋	＋	無	有
サクシンジアルデヒド10％剤 (Gigasept)	＋	＋	＋	＋	無	有
代替品						
四級アンモニウム化合物 (Dettox 4% and 8%)	＋	－	－	±	無	無
アルコール性ポビドンヨード液 (Betadine)	＋	＋	±	＋	無	無
次亜塩素酸剤 (Anprosol), 有効塩素2,000p.p.m.	＋	±	＋	＋	有*	有
エタノール70％液	＋	＋	－	＋	?**	無
クロールヘキシジン/セトリミド (Savlon)	＋	－	－	－	無	無

※記号説明：＋活性あり　－活性なし　±恐らく活性あり
* 金属, ゴム, ポリウレタン, 挿入チューブ
** エポキシレンズセメント

また、ウィルス性肝炎、特にB型肝炎ウィルス抗原保有者に、内視鏡を検査に使用した場合は、少なくとも、30分間グルタールアルデヒド液で浸漬処理する。また、開放性結核のある患者に使用した場合は、45〜60分間の浸漬処理を行うのがよい。このような場合は、酸化エチレンガスで滅菌するのがよいが、臨床医は、通常、この処理のために、別の処理センターに内視鏡を送ることを好まないことが多い。また、酸化エチレンを使用する場合は、加圧(20mmHg以上)、高温(例：55℃より37℃の方がよい)は避けるべきである。

(20mmHg以上)、高温(例：55℃より37℃の方がよい)は避けるべきである。

　また、ファイバー・オプティック気管支鏡も、結核のリスクがあるので、ルーチンに長時間グルタールアルデヒド処理(例：30分間)が必要である。胆道鏡も、やはり、特殊な問題があり、酸化エチレンによる滅菌が必要である。しかし、妥協は、常に必要であり、内視鏡は、手術部位に到達する前に、汚染領域を通過するため、完全な洗浄と消毒（出来れば少なくとも30分間)で、十分と考えねばならないであろう。

5.3.3　保育器

　まず、洗浄剤で完全に洗浄し、次に、乾燥させれば、通常は十分である。しかし、消毒が必要な場合は、弱い次亜塩素酸溶液(有効塩素濃度：125p.p.m.)と親和性のある洗浄剤の混合液で、表面を拭き取るとよいであろう。また、洗浄後に70％アルコールで拭いても、消毒はできるが、プラスチック部分に損傷が生じないように、注意が必要である。保育器の内部についている加湿器のなかには、水の温度を、70℃以上に上げて消毒できるものもあり、また、取り外して、オートクレーブ処理できるものもある。加湿器の水に、最終濃度が0.05％となるように、クロールヘキシジンを添加すると、加湿器をうまく取り外せない場合でも、グラム陰性桿菌の増殖を防ぐのによいであろう。しかし、この場合は、細菌増殖の有無について、細菌学的モニターが必要である。ホルムアルデヒド・キャビネットも有効であるが、やはり、洗浄は必要であり、ホルムアルデヒドを確実に除去するよう、注意が必要である。また、ホルムアルデヒドの消毒器は高価であり、ほとんどの病院が必要としないが、もしあるならば、注意深い管理が必要であるため、院内の中材部、または滅菌処理部に設置すべきである。

6

検査室における消毒薬の使用

　病院検査室における化学消毒薬の使用については、Code of Practice for the Prevention of Infection in Clinical Laboratories and Post-mortem Rooms(DHSS, 1978)に詳細に述べられ、以下に示す基準の大半は、このコードから取ったものであり、本文も、これと合わせて読む必要がある。

6.1　消毒薬の安全な取り扱い

　検査室にある消毒薬の濃厚液は、危険であることがあり、取り扱いにあたっては、注意が必要である。例えば、次亜塩素酸ナトリウムの濃厚液は、非常に腐蝕性が強く、こぼれると、衣服などは漂白されてしまう。また、フェノール剤も、腐蝕性があり、毒性がある。グルタールアルデヒドは、皮膚、粘膜を感作し、ホルマリン蒸気は、非常に刺激が強く、毒性がある。従って、濃厚液を取り扱う時には、ゴム手袋をはじめとする保護服の着用が必要である。皮膚に付着したり、眼に入った時には、直ちに、大量の水で、洗い流さなければならない。

6.2　廃棄用ジャー

　廃棄用ジャーは、正しい使用法の様々な面が無視され、悪用されていることが多い。

6.2.1　消毒薬の選択
　透明溶解性フェノールは、細菌検査に適切であり、一方、次亜塩素酸ナトリウム、あるいは、ジクロロイソシアヌール酸ナトリウム(NaDCC)は、細菌、ウィルス、および血液検査に適切である。しかし、次亜塩素酸塩は、中程度の量の有機物が存在するだけでも、容易に不活化されるということを忘れてはならない。

6.2.2　正しい希釈剤の調製
　各使用目的にあった正しい希釈液は、清潔で、できれば、加熱消毒した容器で調製しなければならない。しばしば使用するものであれば、毎日、取り換える。

フェノール剤の場合は、ほとんど使用しなくても、少くとも週に1回は取り替えねばならない。廃棄用ジャー1個ずつに、フェルトペンなどで、外側に線を引いて、正確な水の添加量を示し、これにピペットで測定するか、あるいは、マークを入れた容器で、正確に消毒薬を計量して入れる。別の方法として、ディスペンサーを使って、前もって、一定量が供給されるようセットしておいたり、あるいは、サーシェ(計量器)を使ってもよい。以下のような使用希釈度が奨められる。

- クレゾール：1.0%
- Stericol：2.0%
- Hycolin：2.0%
- 次亜塩素酸ナトリウム、およびジクロロイソシアヌール酸ナトリウム：有効塩素濃度として、2,500p.p.m.

6.2.3　廃棄物の処理

　廃棄用ジャーに入れたものは、完全に、消毒液の中に沈み込むようにしなければならない。即ち、廃棄物の全ての内側表面、および内容物に消毒薬が接触するようにしなければならない。また廃棄物は、廃棄する前、少なくとも1時間、できれば、1夜、消毒薬につけておく。次に、ふるい、または、こし器を使って、シンク(手洗い用洗面器ではない)に消毒薬を流して、ジャーを空にする。リスクの高い病原菌で汚染された固型廃棄物は、焼却、またはオートクレーブ処理すべきであるが、リスクの低い病原菌汚染の場合は、焼却、オートクレーブ処理、または密閉プラスチック・バッグに入れて、通常の検査室廃棄物と同様に処理してもよい。再使用可能なピペットは、予め、オートクレーブ処理をせずに、1夜、消毒薬に浸漬して、洗浄すればよいと思われる。

6.2.4　使用中試験

　消毒薬は、様々な多くの物質によって、様々に不活化されるため、標準使用希釈度でも、全ての場合に有効であるとは限らない。従って、使用中に、定期的なテストをすることが奨められる。消毒が無効である原因は、ほとんどの場合、使用希釈度の測定が不正確であるか、同じ液を長く使いすぎたか、有機物質を添加しすぎたか、または、廃棄用ジャーに消毒薬を入れ替える前に、洗浄がうまくできなかったなどによる。このような点をチェックしても、なお無効であれば、使用希釈液の濃度を高くする。ジャーに廃棄するものの量を少なくする。有効な物理的消毒法を使用するなどの方法をとる。

6.3 感染物質のこぼれ

感染物質がこぼれた場合は、ディスポーザブルの手袋を着用して、処理しなければならない。このようなものが、こぼれた場合は、消毒薬、ペーパータオル、または消毒薬をしみ込ませた布で、5～10分間、カバーし、拭き取りに使ったタオル、布などは、感染廃棄物容器に収容しなければならない。また、割れたガラス類は、ピンセットでつまみ取るか、あるいは、オートクレーブ処理の可能な（またはディスポーザブルの）ちり取りとブラシで回収する。

6.4 排気装置付キャビネット

排気装置付キャビネットは、使用後、適切な消毒薬で、使用面を洗浄しなければならないが、この時、必ず、ディスポーザブルの手袋を着用する。細菌検査後は、透明溶解性フェノール液、あるいは次亜塩素酸ナトリウムを使用し、また、ウィルス検査、あるいは血液検査後は、次亜塩素酸を使用する。また、週1回、ホルムアルデヒドによるくん蒸を行ない、さらに、エアグリッドから、「けば」を取り除く時、フィルターを交換する時、あるいは、何らかのメインテナンス作業をする時にも、必ず、その前に、ホルムアルデヒドによるくん蒸を行なう。また、以下の方法により、キャビネット内部をくん蒸する時には、前部の扉を閉じなければならない。

方法1 ホルマリン（BP）35mℓを500mℓのビーカーに入れ、過マンガン酸カリウム10gを加える。（この混合液はすぐに沸騰し、ホルムアルデヒドを放出する。）この時、過マンガン酸カリウムの量が多すぎると、爆発の危険があり、また、ホルマリンの量が多すぎると、ポリマーが、キャビネット、およびフィルターに沈着することがある。

方法2 皿にホルマリン（BP）25mℓを取り、電気ヒーター上で沸騰させる。（ホルマリンが、全て気化してしまうと、ヒーターのスイッチは自動的に切れる。）

方法3 LEEC Formalin Vaporizer（LEEC Ltd.）などの専用装置で、ホルマリン（BP）25mℓを沸騰させる。

通常のキャビネットより、大型のものを使用する時には、上述の量を増量してもよい。1夜、くん蒸した後は、換気扇を作動させ、前部扉を2、3mm開けて、空気を入れることによって、ホルムアルデヒドを建物外部に排気する。この場合、ホルムアルデヒドを排出する前に、排気口周辺に窓拭き作業者、エンジニアなど、誰もいないことを確認する。

6.5 特殊な装置

6.5.1 遠心分離器

遠心分離中に、時として、試験管が破壊されることがあり、破片や遠心分離器の部品を消毒する必要が生じることがある。破壊した場合は、蓋を少なくとも30分間、閉じたままにしておき（あるいは破壊が発見されたら、直ちに再び閉じる）、エアロゾルを沈澱させる。必ず、保護手袋を着用し、ピンセット、あるいはスワブを、ピンセットではさんで、ガラス破片を採取する。ガラスの破片、バケット、トラニオン、ローターなどはフェノール、グルタールアルデヒドなど、関連細菌に有効であることが分かっている、非腐蝕性消毒薬(次亜塩素酸は不可)に浸漬して、少なくとも30分間放置するが、さらによいのは、オートクレーブ処理することである。破壊されていない、キャップのついたチューブは、別の容器に入れた消毒薬に浸して、少なくとも30分間置いておき、次に、内容物を回収する。遠心分離器のボールは、消毒薬で拭いて、乾燥させ、次に、再び拭き取って、最後に、水で洗浄して乾燥する。

6.5.2 化学・病理検査室で使用する自動装置

通常の場合は、サンプルと直接、接触した自動装置の導管のみを、処理する必要があり、外面の処理は不要である。作業日の終了時に行なうルーチンの導管洗浄では、蒸留水または製造業者の指定する洗浄液で、洗浄するだけで十分であると思われるが、リスクの高い病原菌を含む標本を処理する場合は、水で洗い流した後、金属部品がなければ、強い次亜塩素酸(有効塩素濃度：2,500p.p.m.)で、導管を洗い流すか、あるいは、2％グルタールアルデヒドで10分間処理して、次に、もう一度、蒸留水ですすぐ(DHSS, 1978)ことが必要である。また、透析膜の交換では、交換する前に、蒸留水、または洗浄液で透析装置を洗い流し、次に、強い次亜塩素酸液で10分間処理して、最後に、もう一度蒸留水で洗い流す。非常に例外的な場合、複雑な自動装置の外面も、消毒する必要が生じることがある。ポリエチレンのテントを組み立てて、これを使うか、出来れば、ホルマリン消毒器を使って、この中で、ホルムアルデヒドによるくん蒸をすれば、傷みやすい部品に有害な影響を与えないが、この方法はメインテナンスの前に、ルーチンに行なう方法ではない。

6.5.3 病理組織検査室で使用するクライオスタット

リスクの高い病原微生物(分類A.B.)* を含むと思われる標本の切片を作成した後、および通常のメインテナンスのために解凍した時には、消毒が必要である。また、ミクロトームは、取り外しのできる部品は、2%グルタールアルデヒドに少なくとも30分間浸漬し、キャビネット内部は、前述のようにホルムアルデヒド蒸気によって、消毒しなければならない。

註)＊バイオハザードの分類で、特に危険な病原体を、
　　英国ではカテゴリーA病原体として区別している。(訳者追加)

6.5.4　その他

消毒薬に浸漬したり、しみ込ませたりすることができない器具(例：電気器具)の表面は、例えば、70%メチルアルコール、または60〜70%イソプロピルアルコールを含浸させた布などで、拭くことにより消毒できる。但し、アルコールには、引火性があることを忘れてはならない。

7

病理解剖室における消毒薬の使用

　環境は、「汚染」の処理条件に必要な濃度(p.7 表1)で、フェノール系消毒薬を使用し、完全に、洗浄消毒しなければならない。壁面は、明らかに汚れていなければ、毎日、消毒あるいは洗浄をする必要はない。しかし、ウィルス感染(特にB型肝炎ウィルス)の危険がある時には、次亜塩素酸溶液を使用すべきであるが、次亜塩素酸塩は、金属腐蝕性があり、迅速に、すすぎ流す必要がある。この代わりにグルタールアルデヒドを使用してもよい。

　器具は、洗浄し、できれば、オートクレーブ処理をすべきであるが、フェノール系消毒薬(洗浄剤と腐蝕防止剤を含有するもの)に30～60分間浸漬するのもよい。ウィルス感染のある患者の死後処置に使用した器具は、グルタールアルデヒド(次亜塩素酸は不可)で消毒すべきである。

　手指は、ルーチンには、石ケンと水で完全に洗浄すべきであるが、特に感染の危険のある場合は、消毒洗浄剤を使用するとよい。洗浄後、アルコールでぬぐう方法が、適切な消毒を確実に行なう便利な方法である。

添付資料1
消毒薬の試験

　ほとんどの国々には、各国独自の公認、あるいは非公認の消毒薬試験が定められており、さらに各国ごとにみても、専門分野(例：食品、医薬品、動物用薬剤など)が異なれば、異なった方法が採用されている。環境、および器具消毒で、最もよく知られている試験法は、American Association of Official Analytical Chemists(AOAC)と German Society for Hygiene and Microbiology(DGHM)の試験、および Dutch Standard Suspension Test(5-5-5)である。英国では、Kelsey-Sykes capacity test の改良法が、病院における消毒薬の試験として、よく採用されている。このような試験では、消毒の異なった面が評価されており、結果を互いに十分比較することはできない。また皮膚消毒については、公認試験はなく、英国では、Lowbury らの方法が、一般に使用されている。(Russell et al.,1982参照)本添付資料では、使用希釈液の試験、使用中試験、および塩素定量法について述べる。

使用希釈液の試験

　使用希釈液試験(例：Kelsey-Sykes capacity test)の目的は、実際の作用濃度を示すことである。これは、床を消毒するとか、検査室の廃棄用ジャーに入れたものを処理するなど、一定の目的のもとに、一定の消毒薬を使用する時に、どの程度に、水で希釈するかを示すものである。使用希釈液試験は、実際的なものでなければならず、通常、迅速にできるものでもなければ、簡単なものでもない。従って新製品の使用希釈度を示すことになる試験は、必要な専門知識のある外部の専門施設に、まかせるべきである。一方、Kelsey-Sykes test 法は、Colindale の Central Public Health Laboratory の Disinfection Reference Laboratory で考案、開発されたものであり、消毒基準の作成担当者は、この試験の原理を理解する必要がある。この試験は、フェノール系消毒薬に最も適しているが、「清潔」な条件下における使用希釈度と、「汚染」条件における使用希釈度に分けて、希釈度を示すものである。「汚染」条件における試験では、酵母を添加するが、血液、膿など、有機物質の存在下で消毒薬を使用する場合に適切である。このようにして、求めた使用希釈度は、予備的な試用希釈度として、十分に使用でき、これにより、実際の状況では、使用中試験で得られた結果に応じて、調製すればよい。

使用中試験

　使用中試験の目的は、一定の消毒薬の効果だけでなく、その使用法もチェックすることである。このような試験は、消毒基準の実施後、初期の段階で行ない、以後、定期的に実施する。このような試験を行ない、結果について、意味のある解釈ができるのは、院内検査室だけであり、さらに非常に多くの試験を行なうため、簡単で、迅速なものでなければならない。

　英国で、一般に認められている使用中試験は、Maurer (1978) の示したものである。この試験の基本となっている原理は、病原菌が生き残って、消毒薬中で増殖し、感染源となる可能性があるということを、調べることが目的である。従って病院中で使用されている、全ての消毒薬希釈液のサンプルを採取し、生菌の有無を検査することになる。このため、器具運搬容器、こぼれたものを拭き取るために使用したモップ用のバケツ、哺乳瓶、および内視鏡用のタンク、さらに保育器、トロリー、厨房の調理台などを消毒するため使用した希釈液の容器など、全てから、サンプルを採取するのである。細菌検査室では、全ての廃棄用ジャーから、サンプルを採取すべきである。使用中試験の方法を以下に示す。

1. 消毒薬のサンプル1つずつに、別の滅菌ピペットを使用し、次亜塩素酸ナトリウム希釈液の場合は、0.5%チオ硫酸ナトリウムを蒸留水に溶解した溶液、あるいはフェノール剤の場合は、3%Tween80 (Atlas Chemical Industries Inc.) の普通ブイヨン溶液など、適切な希釈不活剤を9mℓ入れた滅菌万能ボトルに、消毒薬サンプル1mℓを入れる。使用中試験を行なう前に、British Standard 6471 (1984) に示した方法で、希釈不活剤が適切かどうか確認しておく必要がある。

2. 1時間以内に(標本を採取して、検査室まで戻る時間)、50-ドロッパー・ピペットを使って、よく乾燥した普通寒天平板2枚の各々の表面に、消毒薬と希釈不活剤の混合液を10滴、落とす。

3. 2枚の寒天平板のうち1枚は、32℃、または37℃で3日間、また、他の1枚は、室温で、7日間インキュベートした後、細菌コロニーの有無を検査する。この場合、どちらかの平板で、5個以上のコロニー(消毒薬サンプル1mℓにつき250個以上の生菌に相当)増殖がみられれば、消毒薬は無効であったと判断する。

　無効の原因は、以下に示すものをはじめとして、様々である。

a) 使用希釈液を調製する時に、消毒薬、または水の量の測定が、不正確であった。

b) 希釈消毒液の使用期間が長すぎた。

c) 空になった容器に詰めかえる時、洗浄、および加熱処理をしなかった。

d) 希釈消毒液が少なくなってきた時に、容器につぎ足した。

e) 不活化物質が存在していた。

f) 消毒薬の選択に誤りがあった。

g) 希釈消毒液中に、好気性胞子形成菌 (*Bacillus spp.*) が、存在していた。

しかし、上記の試験では、使用希釈度が適切であったかどうかは検出できないので、消毒薬の定量が必要になる場合がある。これは、塩素化合物の場合、特に重要である。また、接触寒天平板法で、表面サンプリングを行なうと、教育訓練、あるいは初期の研究には、消毒薬の効果を示すために有用であるが、ルーチンには不要である。

塩素の定量

次亜塩素酸ナトリウム溶液は、保存により分解する傾向があり、徐々に、有効塩素濃度が低下する。一定の時期における溶液中の有効塩素濃度は、以下の方法で測定することができる。

方法　サンプル5mlを取り、細いグラスロッドでかき混ぜながら、0.141N 亜ヒ酸ナトリウム溶液 (BDH Chemicals Ltd.) で滴定する。　最終点は、ロッド上に付着した溶液を1滴、澱粉ヨード反応試験紙 (Whatman Ltd.) に滴下した時、紫～黒色に変色しなくなった時とする。ml単位の滴定量から、直ちに、1l当たりのg単位の有効塩素含有量が得られる。(10g/l = 10,000p.p.m.)

次亜塩素酸、または亜ヒ酸溶液の使用希釈度が適切であれば、有効塩素濃度10p.p.m.まで定量することが出来るが、この値は、上記の指示薬を使った場合の検出限界である。

また、澱粉ヨード反応試験紙は、次亜塩素酸溶液中のおおよその有効塩素濃度を、迅速にチェックするために、使用することができる。例えば、10% Chloros (ICI Ltd.) 中の有効塩素濃度が、約10,000p.p.m.であれば、試験紙は、直ちに漂白され、従って、紫～黒色への変色はみられない。また、「清浄」な状態での消毒に、通常、適切であると考えられる約200p.p.m.では、暗い紫～黒色に変色する。さらに、100p.p.m.以下では、徐々に変色が薄くなり、ペン用のインクとして使えない位の色になると、消毒用としては、塩素濃度が不十分であるということになる。

添付資料2
器具と環境における洗浄と処理基準の要約

　本要約は、E.J.L.Lowbury, G.A.J.Ayliffe, A.M.Geddes, J.D.Williams 編、Control of Hospital Infection：A Practical Handbook（第2版、Chapman & Hall, London, 1981）を、多少異った形式で再生したものであり、出版社の許可も得たものである。

　下記に示す基準では、消毒のカテゴリーについて、以下の略号を使用している。

Heat——高温で損傷を受けないと思われるものはオートクレーブを、
　　　　それ以外のものは低温蒸気、またはパスツリゼーション法。
CSP——特に、断わりがない限り、「清浄」な状態での使用が奨められ
　　　　る使用濃度の、透明溶解性フェノール系薬剤による化学消毒。
HYP——次亜塩素酸塩による化学消毒。
GLUT—2％グルタールアルデヒドによる化学消毒。

器具、または場所*	常用の方法、またはより望ましい方法	代用法、または感染患者に対する提言
気道・気管内チューブ	1)加熱。	2)GLUT。 結核患者には、使い捨て式のものを使用するか、加熱滅菌すること。
アンプル	70％アルコール液でネック部を拭う。	浸漬しないこと。
浴室	**非感染症患者** 洗剤で拭った後、すすぐ。 しみ状汚れ、石ケン、あか落しには、クリーム状クリーナを用いても良い。	**感染症患者** **および、まだ塞がっていない傷を持つ患者** HYP、但し a)次亜塩素酸洗剤液を用いるか、または b)非研磨性次亜塩素酸粉末(Countdownなど)を用いる。
浴用水	通常は、浴用消毒薬は加えない。	ブドウ球菌保菌者には、入浴時ヒビスクラブを用いる。 感染患者や流行発生時には、Steribath, SavlonまたはSter-Zac浴用剤を温水に加える。

器具、または場所*	常用の方法、またはより望ましい方法	代用法、または感染患者に対する提言
ベット枠	洗剤を使用して洗い、乾かす。	後感染した患者には、CSP。
病床用便器	1)加熱消毒式洗浄機で洗浄するか、または使い捨て式便器を使用する。使い捨て式便器の運搬具は、使用後、洗浄すること。	**腸内感染患者** 1)が不可能なら、空にして洗浄後、加熱消毒するか、CSP。 各感染患者の専用便器を1個ずつ割当てる。
容器(手術用)	オートクレーブ。	
容器(洗浄用)	洗浄し乾かす。	感染症患者には、それぞれに専用洗浄用容器をあてがい、排水時消毒する。 1)「加熱」消毒。 2)CSP。
カーペット	毎日掃除機をかける。 定期的に熱湯抽出法により、クリーニングする。	各種液の、こぼれによる汚染があることが、はっきりしている場合は、CSP液中に10分間放置し、すすいだ後、乾かす。 CSPに適した材質のカーペットにのみ、適用すること。
Cheatle鉗子	出来る限り使用しないこと。	使用した場合は、毎日オートクレーブにかけ、新しいCSP溶液中で保存すること。
陶器類・刃物類	1)すすぎ温度を80℃以上として機械洗いし、風乾する。 2)許可を受けた方法により、手洗いする。	腸内感染患者、または結核患者には、使い捨て式のものを使用するか、「加熱」消毒する。
膀胱鏡	完全に洗浄し、低温蒸気中で消毒する。	GLUT。
排水管	定期的に清掃する。	化学的消毒は、望ましくない。
内視鏡 (胃鏡・気管支鏡・ 腹腔鏡・関節鏡)	p.24 参照。	
哺乳びん・乳首	1)予め滅菌、または仕上げ加熱処理したものを使用。	2)哺乳びん・乳首は滅菌し、滅菌パックに詰めたものを使用する。 3)次亜塩素酸(Milton)は、他に方法がない場合に限り、少量ずつ使用すること。

器具、または場所*	常用の方法、またはより望ましい方法	代用法、または感染患者に対する提言
床(乾式掃除)	1)掃除機で清掃。 2)埃吸着式乾式モップを使用。	患者用区域では、箒は使用しないこと。
床(湿式掃除)	洗剤溶液を使用して洗う。 消毒は通常、必要なし。	汚染区域、および特別区域はCSP。
家具・備品	洗剤溶液で湿した布などで、埃を拭い取る。	汚染区域、および特別区域は、CSPを湿した布などで埃を拭い取る。
幼児保育器	洗剤で洗い、使い捨ての布などで拭って乾かす。	**感染症の幼児患者** 汚れ除去後、70%アルコール溶液、または次亜塩素酸溶液(125p.p.m.)を使用して拭くか、または、これらの液を吹きかける。
器具(手術用)	「加熱」。	器具が汚染されており、再処理前に処置が必要なら、CSP(結核)、またはGLUT(肝炎ウィルス)
ロッカーの天板	家具・備品を参照。	
マットレス	非透水性カバーは、洗剤溶液で洗い、乾かす。	汚染された場合は、CSPで消毒する。 但し、不必要に消毒しないこと。 マットレス損傷の恐れあり。
ディッシュモップ	使用しないこと。	
モップ (乾式埃吸着式)	洗浄、または再処理しないまま、2日以上使用しないこと。	1回使用する度に、電気掃除機をかければ、洗浄、または再処理の有効期間を長くできる。
モップ (湿式)	1回使用する度にすすぎ、絞って乾かした後、保管する。 定期的にオートクレーブにかけるか、洗浄機内で消毒する。	化学的消毒が必要なら、水ですすぎ、1%の次亜塩素酸溶液(有効塩素量0.1%)に30分間漬け、さらに、すすいで乾燥した後保管する。
爪ブラシ	どうしても必要な場合のみ、使用のこと。	臨床用には、全て滅菌済爪ブラシを、使用のこと。
枕	マットレスと同様に、処理すること。	

器具、または場所*	常用の方法、またはより望ましい方法	代用法、または感染患者に対する提言
カミソリ (安全カミソリ、 またはペン型)	使い捨て式を使用するか、オートクレーブにかけたものを使用。	CSP、または70％アルコール液。
カミソリ (電気式)	頭部を70％アルコール液に浸す。	
病室 (仕上げ清掃、 または消毒)	**非感染症患者** 表面を洗剤溶液で洗い、放置して乾かす。	**感染症患者** ウィルス性肝炎患者の場合は、CSP、またはHYP(有効塩素量0.1％)により、表面を洗う。 噴霧式散布は、望ましくない。
ひげそり用ブラシ	臨床用剃毛には、使用しないこと。	オートクレーブ。 ブラシが不必要なシェービングクリーム、またはシェービングフォームを用いること。
痰壺	使い捨て式のみ、使用のこと。	使い捨て式でないものは、注意深く空にし、オートクレーブにかける。
体温計(口腔式)	1)個人用体温計は、70％アルコール液で拭い、乾燥させて保管する。 仕上げ消毒は、2)に従って行う。	2)回診後、体温計を集め、きれいに拭い、CSP、または70％アルコール液で10分間消毒する。その後、すすぎ(フェノール剤の場合)、拭って乾かした後保管する。
体温計(直腸式)	70％アルコール液で汚れをとり、上記と同様の処置をする。	
体温計 (臨床用電子式)	1)使い捨て式スリーブを使う。 2)検温部を70％アルコール液で拭う。 3)使い捨て構造のものを使用する。	口腔内、または直腸内を検温をする時、またはチフス、結核、その他の患者には、必ず、スリーブを使用すること。
便座	洗剤で洗い、乾かす。	感染症患者の使用後、または汚染がひどい場合は、CSP処理し、すすいだ後、乾かす。
歯磨き用コップ	1)使い捨て式を、使用のこと。	2)使い捨て式でない場合は、「加熱」消毒する。

器具、または場所*	常用の方法、またはより望ましい方法	代用法、または感染患者に対する提言
玩具	まず、汚れを落とすこと。但し、柔らかい玩具には、液をしみこませないようにすること。 汚染している場合には、 a)「加熱」、 　または b)70％アルコール液、またはCSPで表面を拭く。	高価な玩具、または貴重品の玩具は、低温蒸気、ガス状ホルムアルデヒド、または酸化エチレンによる処理で、損傷を受けない場合もある。 酸化エチレンガスの滅菌の場合は、滅菌後エアレータで空気置換する必要がある。 柔らかい玩具で汚染のひどいものは、壊してしまうこと。
手押し車の天板	1)まず、汚れを落とし、次に70％アルコール液を使用して拭うか、または液を吹き付けて化学消毒する。	2)まず、汚れを落とし、次にCSPを行い、拭って乾かす。
チューブ類 (麻酔用、 　または換気装置用)	a)加熱消毒する。 b)完全に洗浄し、GLUTを実施する。	**結核患者** 1)使い捨て式チューブを、使用する。 2)「加熱」。
蓄尿器	1)「加熱」消毒式洗浄装置で洗うか、使い捨て式尿器を用いる。	2)CSPを行う。 　タンクを使用している場合、少なくとも1週間に1度は空にして乾かし、再充填する。
ベンチレータ (機械式)	p.23 参照。	
洗面器	洗剤を使用して洗う。 しみ、汚れ、あか、などの除去には、クリーム状のクリーナを用いる。 通常消毒は必要ない。	汚染している場合には、消毒も必要。 次亜塩素酸洗剤の溶液、または非研磨性次亜塩素酸粉末を用いること。
X線装置	洗剤溶液をしみこませ、布などで埃を拭い取る。 スイッチは、切って置くこと。 過度に濡らさないようにする。 装置使用前に乾かしておくこと。	消毒には、70％アルコール液を使用し、拭うこと。

註)＊器具、または場所欄の順序が不同になっている。これは、原著ではABC順となっているためである。(訳者追加)

Selected Bibliography

Ayliffe, G.A.J. (1980). The effect of antibacterial agents on the skin. *J. Hosp. Infect.* **1**, 111.

Ayliffe, G.A.J., Collins, B.J., and Taylor, L. (1982). *Hospital-acquired Infection: Principles and Prevention*, John Wright, Bristol.

Bennett, J., and Brackman, P.S. (eds) (1979). *Hospital Infections*, Little Brown and Co., Boston.

Block, S.S. (ed.) (1977). *Disinfection, Sterilization and Preservation*, 2nd edn, Lea and Febiger, Philadelphia.

British Standards Institution (1984). *Determination of the Antimicrobial Value of QAC Disinfectant Formulations*, BS 6471, British Standards Institution, London.

Collins, C.H. (1983). *Laboratory-acquired Infection*, Butterworth, London.

Department of Health and Social Security (1972). *Report of Advisory Group on Hepatitis and the Treatment of Chronic Renal Failure*, HMSO, London.

Department of Health and Social Security (1974). *Health Service Catering Manual: Hygiene*, HMSO, London.

Department of Health and Social Security (1976). *Memorandum on Lassa Fever*. HMSO, London.

Department of Health and Social Security (1977). *Memorandum on Rabies*, HMSO, London.

Department of Health and Social Security (1978). *Code of Practice for the Prevention of Infection in Laboratories and Post-mortem Rooms*, HMSO, London.

Health and Safety Commission, Health Services Advisory Committee (1981). *The Safe Disposal of Clinical Waste*, HMSO, London.

Lowbury, E.J.L., Ayliffe, G.A.J., Geddes, A.M., and Williams, J.D. (eds) (1975). *Control of Hospital Infection: A Practical Handbook*, Chapman and Hall, London.

Maurer, I.M. (1978). *Hospital Hygiene*, 2nd edn, Edward Arnold, London.

Russell, A.D., Hugo, W.B., and Ayliffe, G.A.J. (1982). *Principles and Practice of Disinfection, Preservation and Sterilisation*. Blackwell Scientific Publications, Oxford.